Dutch

Prod No.:	96256
Date:	29/11/17
Title:	*Big Book fo Beasts*
Supplier:	DZS Grafik
T.P.S:	340 x 230mm (upright)
Extent:	64 pages printed 4/4
Paper:	170gsm woodfree offset
PLC:	Printed in 4 colours (CMYK)on 120gsm woodfree uncoated paper. Matt laminated one-side only + spot UV on frontboard, backboard & spine.
Binding:	Thread sew in sections. 140gsm woodfree endpapers printed 4/1 + varnish (Front p 2/3 with image pdf, p 4 Pantone 128U, orange. Back p1 pantone 128U orange, p 2/3 with image pdf). First and second lined, square back, cased with PLC over 3mm greyboards. Head & tail bands GF 106, orange.

HET
BUITENGEWONE
BEESTEN
BOEK

Tekst en tekeningen

YUVAL ZOMMER

Beestenexpert

BARBARA TAYLOR

Zie jij...

... in dit boek vijftien van deze geheimzinnige pootafdrukken? Let op valse sporen.

Het Buitengewone Beestenboek

LEMNISCAAT ROTTERDAM

WIE VIND JE HIER?

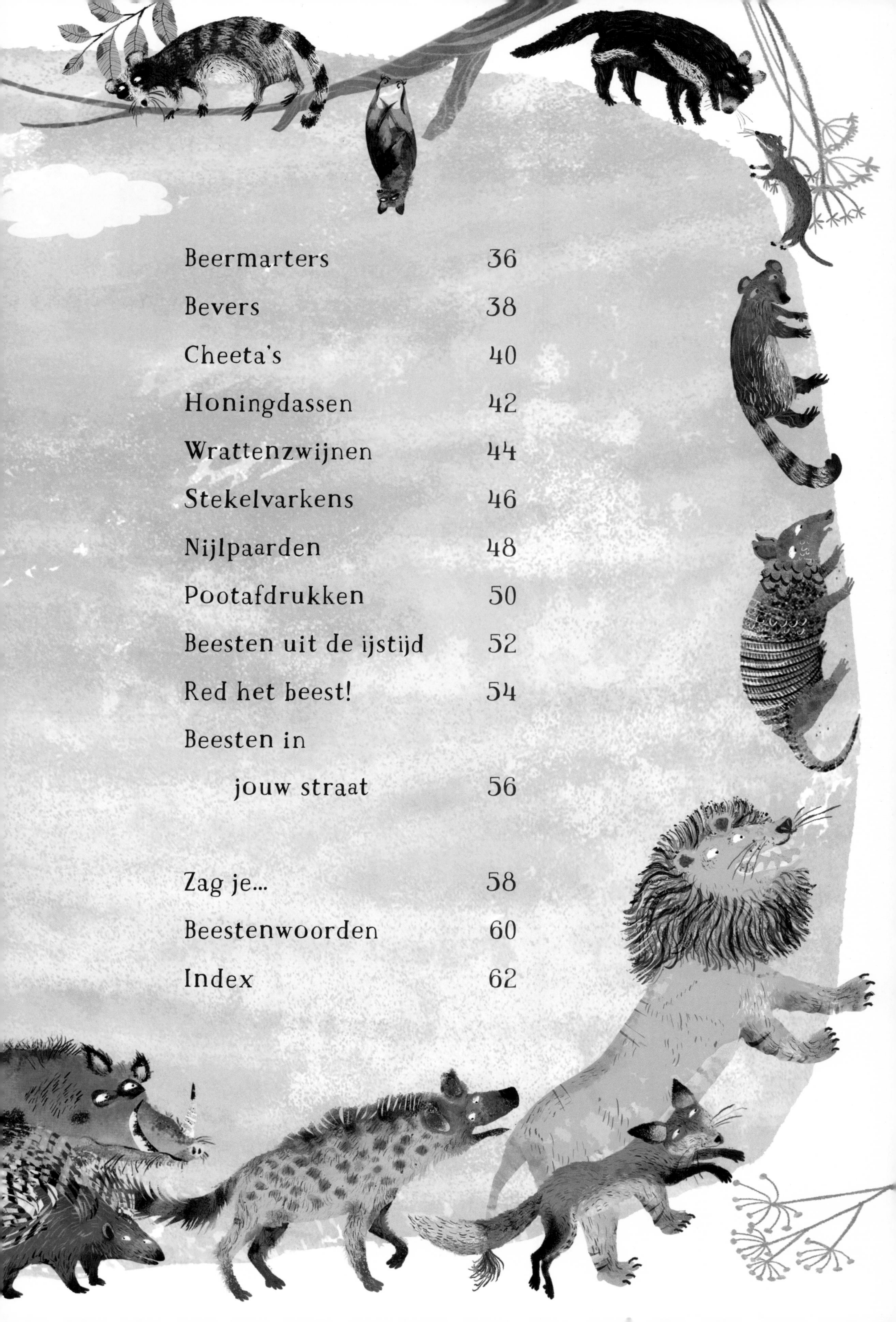

BEESTENFAMILIES

Wanneer is een zoogdier een beest?

Warmbloedige dieren met een vacht worden officieel 'zoogdieren' genoemd. Sommige zoogdieren zijn aardig, andere zijn beestachtig! Beesten zijn dodelijk, slim en vooral wild! Dit zijn de beestachtigste beesten...

Primaten...

... zijn onder andere apen en mensapen
... eten insecten als ze klein zijn en fruit als ze groot zijn

Evenhoevigen...

... hebben hoeven en een even aantal tenen
... zijn onder andere wrattenzwijnen en nijlpaarden
... eten planten

Knaagdieren...

... hebben vier grote voortanden
... zijn onder andere muizen, ratten, bevers en stekelvarkens

Vleermuizen...

... zijn een aparte familie
... eten fruit en insecten
... drinken soms alleen maar bloed
... maken een kwart van alle zoogdieren uit

Carnivoren...

... eten allemaal vlees
... zijn ook alle katten
... zijn onder andere beren, hyena's, wezels, beermarters, wolven, vossen en honingdassen

Gordeldieren en luiaards...

... komen uit de 'xenarthra'-familie
... eten planten en insecten
... verteren hun eten superlangzaam

Buideldieren...

... zijn onder andere kangoeroes en Tasmaanse duivels
... eten planten
... hebben buidels waarin ze hun baby's dragen

KLAUWEN EN KAKEN

Hoe beschermt een beest zichzelf?

Beesten gebruiken hun klauwen en kaken voor van alles, zoals jagen, vechten, zichzelf verdedigen en soms ook om indruk te maken. Dit zijn de meest indrukwekkende en angstaanjagende tanden en klauwen.

Grijpgraag

De cheeta heeft buitengewoon lange klauwen om grip op de grond te kunnen houden en een scherpe duimklauw om zijn prooi mee aan de haak te slaan.

Betonnagels

De miereneter heeft lange, sterke klauwen om termietenheuvels open te scheuren, die zo hard zijn als beton.

Handige pootjes

De klauwen van een mol hebben de vorm van kleine schepjes. Hij gebruikt ze om door de aarde te graven en molshopen te maken.

Vampiertanden

De vampiervleermuis bijt met zijn naaldscherpe tanden een V-vorm in de huid van een koe. Hij likt het bloed dat eruit komt af met zijn kleine raspende tong.

Berenbijters

De bruine beer gebruikt zijn supersterke tanden om botten open te breken, zodat hij het sappige merg op kan eten.

Tandenterreur

Het nijlpaard zet zijn bek wijd open om zijn enge tanden te laten zien en zijn vijanden af te schrikken.

HUILEN, GROMMEN EN STINKEN

Hoe laat een beest weten dat hij er is?

Er zijn allerlei manieren waarop dieren laten merken dat ze in de buurt zijn, zelfs als je ze niet kunt zien. Sommige stinken, sommige maken lawaai en sommige verrassen je!

Brrrrrul!

Veel grote katten brullen om gevaarlijk te lijken en om contact te houden met hun troep. De leeuw heeft de allerhardste brul.

Stekelvarkenwoede

Het kuifstekelvarken schrikt roofdieren af door met zijn poten te stampen terwijl hij knort en sist.

Stinkbom

De honingdas verstikt zijn vijanden met een stinkbom.

De zoete geur van slijm

De bever markeert zijn territorium met dik slijm dat naar vanille ruikt. Het wordt zelfs als smaakstof in eten gebruikt.

Gillend gordeldier!

Het klein behaard gordeldier gilt naar zijn vijanden totdat ze weggaan.

GORDELDIEREN

Waarom hebben gordeldieren een pantser?

Om ze te beschermen tegen wolven, poema's en andere hongerige roofdieren. Hun rug, kop, poten en staart zijn bedekt met harde benige platen. Alleen hun buik is zacht.

Het gordeldier graaft holen

Grote voorklauwen en sterke poten helpen het gordeldier om in de aarde te graven.

Gordeldieren hebben lange, kleverige tongen...

... om zo snel mogelijk mieren en andere insecten op te kunnen likken.

Hoe beschermt hij zijn zachte buik?

De meeste gordeldieren graven een gat om zichzelf in te beschermen. Maar het drieband-gordeldier kan zichzelf oprollen tot een harde bal.

VOSSEN

Is een vos slim?

Heel erg, zeker als het op jagen aankomt. Een vos weet precies hoe ver weg zijn eten zich bevindt, zelfs zonder het te zien!

De kleinste geluidjes

Een vos kan een regenworm onder de grond horen kronkelen en een muis onder zijn poten horen graven!

Een vos krult op om warm te blijven

Als het koud is, wikkelt een vos zichzelf in zijn grote, dikke staart.

Hij kruipt naar een muis en springt erop.

Een vos springt hoog de lucht in om van bovenaf toe te slaan. Hij kan precies boven op een klein, vluchtend muisje springen.

Extra voorraad

Als een vos eten overheeft, graaft hij een verstopplekje om het voor later te bewaren.

Wist je dat...

... een mannetjesvos een 'rekel' wordt genoemd?

BAVIANEN

Hoe chagrijnig is een baviaan?

Bavianen zijn sluw, zoeken vaak ruzie en vechten veel. Ze zijn heel slim en hun DNA is voor 91 procent gelijk aan dat van een mens.

Blaffende bavianen

De baviaan blaft, slaat op de grond en knarst met zijn tanden om vijanden af te schrikken.

Bavianenbaby's

Een babybaviaan houdt zich de eerste maanden van zijn leven vast aan zijn moeders rug.

Ingebouwd kussen

De baviaan heeft een stuk vel op zijn kont dat op een kussen lijkt. Dat zit zo prettig, dat bavianen zelfs zittend slapen.

Bavianen worden vriendjes...

... door teken uit elkaars vacht te halen.

VLEERMUIZEN

Zijn vleermuizen echt blind?

Nee! Alle vleermuizen kunnen zien, maar sommige beter dan andere. Vleermuizen die fruit eten hebben een geweldig goede ogen waarmee ze naar eten speuren. Vleermuizen die insecten eten hebben slechte ogen. Zij maken hele hoge geluiden die op de insecten weerkaatsen, waardoor ze weten waar hun eten is.

Zwemvliesvingers

Vleermuisvleugels zijn gemaakt van flappen huid tussen lange, dunne vingers!

Rondhangen

De vleermuis hangt ondersteboven omdat zijn botten niet sterk genoeg zijn om rechtop te kunnen staan. Als hij slaapt wikkelt de vleermuis zijn vleugels om zich heen als een deken.

Moedergroep

Vleermuismoeders wonen samen zo lang hun baby's nog klein zijn. Alle babyvleermuizen zien er hetzelfde uit, maar ze hebben verschillende stemmen waardoor de moeder haar eigen baby herkent.

Vampiervleermuizen

Een Zuid-Amerikaanse vampiervleermuis drinkt bloed van koeien en schapen. Hij heeft bijzonder spuug dat ervoor zorgt dat het bloed niet stolt terwijl hij het drinkt.

LUIAARDS

Hoe lui is de luiaard?

Heel erg! Het is het langzaamst bewegende dier op aarde. De luiaard heeft zo weinig energie omdat hij er een maand over doet om één maaltijd te verteren.

Hangerig

De luiaard heeft lange klauwen die hij gebruikt om ondersteboven aan een boomtak te hangen. Zijn ingewanden zitten vast aan zijn ribben, zodat zijn longen niet platgedrukt worden terwijl hij ondersteboven hangt.

Wist je dat...

... de luiaard zijn kop zo ver kan draaien dat hij achter zijn rug kan kijken?

De luiaard wordt groen

Doordat de luiaard zo langzaam beweegt, groeit er in zijn vacht een slijmerige groene laag die op schimmel lijkt. Hierdoor zie je de luiaard nauwelijks tussen de boomtoppen.

Wat stinkt daar niet?

Veel roofdieren vinden hun prooi door hun geur te volgen. De luiaard ruikt helemaal nergens naar, waardoor hij beschermd is.

TIJGERS

Waarom heeft de tijger strepen?

Zodat hij verborgen blijft als hij op zijn eten jaagt. De strepen van alle tijgers zijn verschillend.

De grootste kat van de wereld

De tijger is de grootste, sterkste en krachtigste kat van de wereld.

Een kat die van water houdt?!

Tijgers kunnen goed zwemmen en vinden het heerlijk om af te koelen in meren en rivieren.

De tijger heeft helende krachten

Als een tijger zijn wonden likt, helpt zijn spuug de huid te genezen.

Een moedertijger draagt haar welpjes...

... in haar bek! Als een moedertijger voelt dat er gevaar dreigt, brengt ze haar welpjes in veiligheid door ze bij hun nekvel te dragen.

Wist je dat...

... één tijger net zo zwaar kan worden als tien tienjarigen?

WOLVEN

Waarom huilen wolven naar de maan?

Een wolf huilt om contact te houden met zijn roedel. Een wolf kan gehuil kilometers ver horen.

Glow in the dark

Wolvenogen hebben reflecterende deeltjes waardoor ze opgloeien in het donker.

Roedelleiders

De oudste wolf en wolvin zijn de leiders van de roedel. Ze laten zien hoe belangrijk ze zijn door zich groot te maken en hun tanden te laten zien.

Wist je dat...

... een wolf zeventien verschillende gezichtsuitdrukkingen heeft?

Babyblauwe ogen

Wolvenwelpjes worden onder de grond geboren. Ze hebben blauwe ogen, die na acht maanden geel worden.

BRUINE BEREN

Wat doen bruine beren in de winter?

Ze slapen in warme, donkere holen. Bruine beren zoeken een grot of holle boomstam om hun winterslaap te houden tot de lente.

Beren houden van honing

Ze vallen bijenkorven aan en likken de honing op met hun lange tong. Bruine beren eten ook de jonge bijen op!

Wist je dat...

... bruine beren vacht hebben tussen hun tenen?

Zalmfeestje

Bruine beren in Alaska staan in het water om met hun enorme poten de zalmen uit het water te slaan. Soms staan ze bovenaan een waterval te wachten tot de vis recht in hun bek springt.

Wegwezen, hier woon ik!

Bruine beren schuren tegen bomen en rotsen om hun geur achter te laten. Zo vertellen ze andere beren dat ze uit de buurt moeten blijven.

WEZELS

Hoe sluw is de wezel?

Hij is dan wel het kleinste vleesetende zoogdier, maar de wezel is een geniepige, sterke en meedogenloze jager.

De wezel heeft een lenige rug

Door zijn elastische ruggengraat en smalle lichaam kan de wezel zijn prooi zelfs in ondergrondse tunnels achternazitten.

Dansen voor het eten

De wezel hypnotiseert zijn prooi door springend en draaiend een oorlogsdans op te voeren.

Zie jij...

... tussen de wezels een hermelijn met een zwarte punt aan zijn staart?

Springende wezels

Wezels bewegen door kleine, snelle sprongetjes te maken. Ze gaan op hun achterpoten staan om rond te kijken en te bedenken waar ze heen zullen springen.

LEEUWEN

Hoe hard is de brul van een leeuw?

Een leeuwenbrul is tot acht kilometer verderop te horen (als je honderd minuten loopt hoor je hem nog steeds!). Hij heeft de luidste brul van alle katten.

Vrienden voor altijd

Leeuwen zijn de enige katten die in groepen leven, die 'troepen' worden genoemd. Ze blijven vrienden door elkaar te likken en met hun koppen tegen elkaar te wrijven.

De leeuw is de meest luie grote kat

De leeuw slaapt zestien tot twintig uur per dag soms op zijn rug met zijn poten in de lucht. Hij doet soms ook een dutje in een boom.

Vrouwenwerk

Leeuwinnen zijn kleiner en sneller dan de mannetjesleeuwen. Zij jagen het meeste, maar de mannetjes eten het eerst.

Niet alleen voor de sier

Een mannetjesleeuw heeft dikke manen waardoor hij er afschrikwekkend uitziet en die zijn nek beschermen als hij vecht.

TASMAANSE DUIVELS

Is een Tasmaanse duivel een duivel?

Dat zou je wel denken als je er een hoorde, 's nachts! Als hij in gevaar is, wordt de duivel woedend en slaakt hij ijzingwekkende kreten.

Duivelsoren

Als de duivel opgewonden of boos is, stroomt er bloed in zijn puntige roze oren, die dan rood worden.

Wist je dat...

... Tasmaanse duivels alleen voorkomen in Tasmanië?

Duveltjes

Tasmaanse duivels zijn buideldieren.
Dat betekent dat een moederduivel haar
baby in een buidel op haar buik draagt.

De Tasmaanse duivel is niet kieskeurig

De duivel vindt half verrotte dieren verrukkelijk.
Hij eet zelfs de botten en huid op!

Hun krachtige kaken...

... kraken dwars door botten heen.

HYENA'S

Lachen hyena's echt?

De hyena praat met zijn familie door te schreeuwen en te kakelen. 's Nachts lijken die geluiden op spookachtig gelach.

Teamwerk

De hyena leeft met soms wel tachtig anderen in een groep die een 'clan' wordt genoemd. Ze jagen in slimme groepjes, maar eten de buit met z'n allen op.

Een hyena maakt zichzelf groter...

... door de haren op zijn ruggengraat rechtop te zetten.

Zie jij...

... witte hyenapoep? De hyena eet alle delen van een dier – zelfs de botten! Daardoor wordt hyenapoep wit.

De vrouwtjes hebben de leiding

Zelfs als pup is een vrouwtjeshyena al gespierder en agressiever dan een mannetje.

BEERMARTERS

Is de beermarter een marter of een beer?

Geen van beide! De beermarter lijkt op een beer en een marter, maar is een eigen diersoort.

Beermarters leven in boomtoppen

De beermarter gebruikt zijn staart als veiligheidsgordel zodat hij niet uit de boom valt als hij slaapt. Zijn staart heeft een leerachtig uiteinde, waardoor hij extra grip heeft.

Beermarters zijn dol op vega

Hoewel beermarters carnivoren zijn – wat betekent dat ze vlees eten – eten ze vooral fruit, bladeren en kleine plantjes.

Donker type

Door zijn ruigere donkere vacht is een beermarter 's nachts bijna niet te zien. Met zijn witte snorharen kan hij zijn weg door het donker voelen.

De beermarter heeft draaiende enkels...

... zodat hij zijn poten kan draaien en ondersteboven uit een boom kan klimmen terwijl hij aan zijn klauwen hangt.

BEVERS

Waarom knagen bevers door bomen?

De Noord-Amerikaanse bever knaagt bomen door en gebruikt het hout om een drijvend huis, een burcht, in het midden van een rivier te bouwen. Hij bouwt ook een dam voor de burcht, zodat die niet wegspoelt.

In een beverburcht...

... zijn twee kamers: een om in te drogen en een slaapkamer met zacht, droog gras. In het plafond zit een klein gat voor frisse lucht.

Wist je dat...

... de bever doorzichtige oogleden heeft die hij als zwembril gebruikt?

De bever heeft oranje tanden...

... omdat er oranje ijzer in zit. Daardoor zijn die tanden sterk genoeg om bomen om te knagen.

Een beverstaart is als een Zwitsers zakmes

Hij kan met zijn staart sturen in het water en erop zitten als op een stoel. Een bever slaat met zijn staart op het water om andere bevers te vertellen dat er gevaar dreigt.

CHEETA'S

Hoe snel is de cheeta?

Ze zijn de snelste landdieren en kunnen zo hard rennen als een auto. Na dertig seconden krijgen ze het te heet en moeten ze stoppen.

De cheeta is de enige kat die...

... in de lucht om kan draaien. Hij slaat met zijn lange staart om de beweging te helpen.

Hoe kan de cheeta zo snel rennen?

De cheeta heeft klauwen die werken als renschoenen met noppen. Daardoor houden ze grip op de grond.

De cheeta ziet eruit alsof hij heeft gehuild...

... maar dat heeft hij niet. De zwarte traanstrepen van de cheeta zorgen ervoor dat de zon niet recht in zijn ogen schijnt.

Meekomen, welpjes!

Een welp is goed gecamoufleerd. Hij volgt de helderwitte punt van zijn moeders staart om niet te verdwalen in het lange gras.

HONINGDASSEN

Hoe komt de honingdas aan zijn naam?

De honingdas heet eigenlijk 'ratel'. Hij heeft zijn bijnaam te danken aan zijn zwart-witte kleur als van een das en zijn lievelingseten: honing.

De honingdas gebruikt gereedschap

Soms verplaatst een honingdas een boomstam en gebruikt die als trapje om een vogel te vangen.

Ongenode gast

De honingdas kruipt in het nest van een ander dier en maakt er zijn eigen huis van.

Samenwerken

Hij werkt samen met een honing-speurdervogel om een bijennest te zoeken. Als ze er een vinden, delen ze de honing.

Wat een stank!

De honingdas maakt een vloeistof die zo stinkt dat hij een nest vol bijen kan hypnotiseren. Terwijl de bijen zijn verdoofd, eet de honingdas hun honing op.

Dikke huid

Zijn dikke vacht en huid beschermen de honingdas tegen bijensteken en slangenbeten.

WRATTENZWIJNEN

Hoeveel wratten heeft een wrattenzwijn?

Wrattenzwijnen hebben grote bobbels op hun kop die 'wratten' worden genoemd. Het zijn een soort kussens die zijn gezicht beschermen als hij vecht.

Handige tanden

Het wrattenzwijn gebruikt zijn vier scherpe slagtanden voor van alles: als gevaarlijke wapens, maar ook als gereedschap om naar eten te zoeken.

Het wrattenzwijn knielt om te eten

Als hij honger heeft, knielt het wrattenzwijn op zijn gevulde knieën om gras te eten.

Biggetjes rennen op een rijtje

Ieder biggetje volgt het harige staartpuntje van degene voor hem, zodat ze niet verdwalen.

Vrienden helpen elkaar

Het wrattenzwijn laat vaak vogels op zijn rug rijden. De vogels pikken de kriebelende insecten uit zijn vacht.

STEKELVARKENS

Waarom hebben stekelvarkens stekels?

Het stekelvarken is bedekt met lange, scherpe stekels. Hij zet die stekels op om zichzelf te beschermen tegen dieren die hem op willen eten.

Het babystekelvarken heeft zachte stekels

Zijn stekels worden na een paar dagen hard, zodat hij zichzelf kan beschermen.

Aanvallen!

Het stekelvarken valt zijn vijanden achterstevoren aan. Hij kan ook met zijn stekels ratelen om roofdieren af te schrikken.

Het stekelvarken wordt nooit kaal

Als het stekelvarken zijn vijanden prikt, raken zijn stekels los. Maar er kunnen weer nieuwe aangroeien, dus hij wordt nooit kaal.

Het huis van een stekelvarken...

... wordt een 'hol' genoemd. Hij maakt zijn hol in een holle boom of zelfs onder een huis!

Waarom houden nijlpaarden van modder?

Omdat ze er lekker koel in blijven. Nijlpaarden blijven achttien uur per dag in het water, maar ze kunnen niet zwemmen.

Buitengewoon boze nijlpaarden

Het nijlpaard is een van de meest agressieve dieren ter wereld. Hij heeft enorme voortanden die hij gebruikt als hij met andere nijlpaarden vecht. Een nijlpaard vindt het lekker om zijn bek open te sperren en al zijn tanden te laten zien als een waarschuwing.

Nijlpaardenzonnebrand

Een nijlpaard maakt zijn eigen zonnebrandcrème. Hij zweet een kleverige rode vloeistof die hem tegen de hete zon beschermt.

Vliegende poep

Het belangrijkste mannetje in een nijlpaardenfamilie gooit zijn poep in het rond om zijn gebied af te bakenen.

Wist je dat...

... de walvis en de dolfijn de meest dichtbije familie van het nijlpaard zijn?

POOTAFDRUKKEN

BEESTEN UIT DE IJSTIJD

Wat is er gebeurd met de ijstijdbeesten?

De beesten uit de laatste ijstijd zijn tienduizend jaar geleden uitgestorven, toen de aarde begon op te warmen en holbewoners op ze gingen jagen. Door rotstekeningen en fossielen weten we hoe ze eruit hebben gezien.

Reuzenwolf

De reuzenwolf was veel groter dan de wolven van nu. Doordat hij zo groot was, kon hij niet hard lopen, maar hij was vals en sterk.

Grote kortsnuitbeer

Met zijn drieënhalve meter lengte was deze beer twee keer zo groot als de grootste beren van nu. Hij was het grootste vleesetende dier dat ooit op aarde leefde!

Grondluiaard

De grondluiaard uit de laatste ijstijd was veel te zwaar om in een boom te klimmen. Hij was net zo groot als de grote kortsnuitbeer, maar hij at alleen maar bladeren.

Sabeltandtijger

Deze reuzenkat had twee voortanden die zo lang waren als dolken. Hij gebruikte die verschrikkelijke tanden om op mammoeten en andere grote beesten te jagen.

Mammoet

De mammoet was net zo groot als de Afrikaanse olifant. Hij had haren die wel een meter lang waren en enorm lange slagtanden.

RED HET BEEST!

Welke beesten worden bedreigd en waarom?

Sommige dieren sterven uit omdat mensen hun natuurlijke omgeving vervuilen of vernietigen. Op sommige dieren wordt gejaagd omdat mensen delen ervan willen gebruiken in traditionele medicijnen of als decoratie. Dit is een aantal van de mooiste beesten die het meest worden bedreigd – en wat mensen doen om ze te redden.

Orang-oetan

De regenwouden waar de orang-oetans wonen worden gekapt om op die plek olieplanten te verbouwen. Weeshuizen verzorgen de baby's die hun leefomgeving kwijt zijn. Als ze zijn opgegroeid, worden ze weer in het wild uitgezet.

Aziatische olifant

Mensen jagen op Aziatische olifanten en verkopen hun kostbare slagtanden om sieraden en dergelijke van te maken. Het is illegaal om een olifant te doden en de lokale bevolking past op ze en beschermt ze.

Reuzenpanda

De panda woont in China en is dol op bamboe. De bamboebossen worden gekapt om plaats te maken voor huizen en wegen. Veel panda's leven nu in dierentuinen en reservaten.

Tijger

Boeren doden tijgers om hun vee te beschermen. Hoe dichter mensen bij de jungle gaan wonen, hoe meer er op tijgers wordt gejaagd. Sommige tijgers leven nu in veilige reservaten waar helemaal geen mensen komen.

Sumatraanse neushoorn

Er wordt op de Sumatraanse neushoorn gejaagd vanwege zijn hoorns. Gemalen neushoornhoorn wordt in sommige traditionele medicijnen gebruikt. Inmiddels is de neushoornjacht illegaal.

Pardellynx

De pardellynx moet uitkijken voor snelle auto's, want ze worden vaak overreden. Mensen werken hard om hun leefomgeving veiliger te maken. Ieder jaar komen er meer pardellynxen bij.

BEESTEN IN JOUW STRAAT

Waarom komen wilde beesten naar de stad?

In onze vuilnisbakken is altijd eten te vinden en in de stad is het vaak warmer dan erbuiten. Er zijn ook veel schuilplaatsen en minder dieren die op ze jagen. Dit is een aantal stadsdieren van over de hele wereld.

Rode vossen

Rode vossen vind je in steden **over de hele wereld**. Ze gooien graag onze vuilnisbakken om op zoek naar eten. Soms gaan ze alleen maar de stad in om te eten en daarna weer naar huis.

Bavianen

In **Zuid-Afrika** zijn veel natuurlijke omgevingen van bavianen vernietigd. Soms moet een baviaan wel de stad in om eten en onderdak te vinden. Een baviaan is heel dapper en stout en steelt soms volle boodschappentassen uit de handen van mensen.

Voskoesoes

In **Australië** dribbelt de voskoesoe over telefoondraden door de stad. Zijn favoriete stadsdiner bestaat uit noten en zaden uit vogelhuisjes.

Wasberen

De **Noord-Amerikaanse** stadswasbeer is heel slim. Hij kan met zijn kleine handjes blikjes openen en hij maakt een huisje in warme schoorstenen.

Zwarte beren

De zwarte beer veroorzaakt nogal wat schade in **Noord-Amerika**. Ze zijn slim en supersterk en kunnen een autodeur openbreken op zoek naar eten.

ZAG JE...

... alle dingen van de 'Zie jij...'-vragen? Heb je ook de vijftien geheimzinnige pootafdrukken uit het begin van het boek gevonden?

16–17 Bavianen

8–9 Klauwen en kaken

18–19 Vleermuizen

12–13 Gordeldieren

24–25 Wolven

14–15 Vossen

26–27 Bruine beren

30–31 Leeuwen

34–35 Hyena's

36–37 Beermarters

42–43 Honingdassen

46-47 Stekelvarkens

48–49 Nijlpaarden

52–53 Beesten uit de ijstijd

54–55 Red het beest!

BEESTENWOORDEN

Zo praat een beestenexpert

Dit zijn woorden die je kunt gebruiken als je over beesten praat.

Beestenlijven

Een wild **zoogdier** noemen we een beest. Een zoogdier heeft warm bloed, een vacht en het vrouwtje baart levende baby's en legt dus geen eieren.

De plek waar een dier woont, heet zijn **habitat**. Sommige zoogdieren houden een **winterslaap**, dat betekent dat ze doorslapen tijdens de koudste maanden.

Een zoogdier is **gewerveld**, dat betekent dat hij een ruggengraat heeft. In zijn lijf zitten harde botten die zijn **endoskelet** vormen.

Wat eet een beest?

Alles wat leeft heeft een eigen plaats in de **voedselketen**. Die plaats wordt bepaald door wat ze eten.

Een **carnivoor** eet andere dieren en staat aan de top van de voedselketen. Als hij zijn eigen voedsel vangt, is hij een **roofdier**. Maar als hij de restjes van anderen opeet, is hij een **aaseter**.

Een **omnivoor** eet zowel planten als dieren.

Een **herbivoor** eet alleen maar planten en zit laag in de voedselketen. Andere dieren jagen op hem als **prooi**.

INDEX

Voor mijn moeder, met al mijn liefde

Buitengewoon beestachtige knuffels en dank
aan mijn redacteur,
Lucy Brownridge en mijn ontwerper,
Aaron Hayden

Tweede druk, 2018
Vertaling: Jesse Goossens
Nederlandse rechten Lemniscaat b.v.,
Vijverlaan 48, 3062 HL Rotterdam 2017

Oorspronkelijke titel: *The Big Book of Beasts*
Oorspronkelijke uitgever: © 2017 Thames & Hudson Ltd,
181A High Holborn, London WC1V 7QX

ISBN 978 90 477 0878 0

Druk- en bindwerk: DZS-Grafik d.o.o., Slovenië

www.lemniscaat.nl